바른 지도자를 뽑는 지혜

잠언에서 찾아낸 지도자 선출의 비결

바른 지도자를 뽑는 지혜

잠언에서 찾아낸 지도자 선출의 비결

발 행 | 2024년 2월 10일
저 자 | 유철기
펴낸이 | 유철기
펴낸곳 | 트랜스포마인드코리아
출판사등록 | 제 2022-000048 호
주 소 | 서울특별시 금천구 가산디지털1로 168, B동 201-18호 (가산동)
전 화 | 010-2258-8346
이메일 | support@trans4mind.co.kr

ISBN | 979-11-93727-04-1(13340)

바른 지도자를 뽑는 지혜

유철기 지음

목차

제2장 바람직한 유권자 상

서문

2024년 4월 10일은 제22대 국회의원 선거일이다. 우리 사회를 좀 더 나은 사회로 만들어 가는 것은 선거를 통해 우리의 대표자인 지도자를 바르게 선택하는 일이다. 잠언(29:2)은 우리가 선거에서 어떤 지도자를 뽑아야 하는지에 대하여 말하고 있다.

> 선량한 사람들이 바르게 일을 하면, 모든 사람이 행복하다. 그러나 악한 사람들이 통치하면, 모든 사람이 고통으로 신음한다. (잠언 29:2)

필자는 2023년 1월 29일부터 9월 30일까지 8개월 동안 매일 잠언을 읽었다. 그리고 대한민국 사회 곳곳에서 일어나는 일들과 관련이 되는 잠언 구절을 선별하여 네이버 블로그에 "오늘의 잠언"으로 소개하였고, 유튜브 채널 "영성 쑥쑥"을 통해 "잠언묵상 오늘의 잠언"이라는 짧은 영상으로 만들어 공유하였다.

특히, 매일 쏟아지는 정치권의 뉴스와 우리 사회 곳곳에서 일어나는 소위 지도급 인사들과 관련된 말과 행태들은 눈살을 찌푸리게 하는 경우가 많았다. 그들의 말과 행동은 필자에게 타산지석의 교훈으로 다가왔다. 잠언(26:17)은 문제를 불러일으킬 수 있는 행동은 하지 마라고 경고했다.

> 개의 귀를 잡는 것은 문제를 불러일으키는 행동이다. 네가 단지 길을 지나가는 중이라면 다른 사람의 싸움에 간섭하는 것도 마찬가지이다. (잠언 26:17)

그런데 놀라운 사실은 8개월 동안 하루도 쉬지 않고 잠언을 읽었는데, 잠언에는 그날 일어나는 일들과 관련하여 그 상황에 적절한 깨달음과 교훈을 주는 말씀이 어김없이 있었다는 점이다.

> 주님은 네가 하는 모든 일을 보고 계신다. 주님은 네가 어디로 가는지를 지켜보고 계신다. (잠언 5:21)

필자가 8개월 동안 하루도 쉬지 않고 블로그에 "오늘의 잠언"과, 유튜브에 "잠언묵상 오늘의 잠언" 영상을 올릴 수 있었던 이유다. 여러 사정으로 인해, 지금은 사회 현상과 관련한 잠언을 찾아 블로그에 글로 쓰지 않고, 유튜브에 영상을 올리지는 못하고 있지만, 여전히 필자는 매일 잠언을 읽는다.

이 글을 쓰는 이 순간에도 전해오는 많은 뉴스는 우리가 매일 잠언을 읽는 것이 왜 중요한지에 대한 이유(잠언 1:2-4)를 말해준다.

잠언은 지혜와 자제력을 가르친다. 잠언은 이해력을 준다.
잠언은 우리에게 지혜로워지는 법과 자제하는 법을 가르쳐 줄 것이다. 잠언은 정직하고 공정하며 옳은 것이 무엇인지 가르칠 것이다.
잠언은 지식이 적은 사람들에게 생각할 수 있는 능력을 준다. 잠언은 젊은이들에게 지식과 분별력을 준다. (잠언 1:2-4)

잠언은 우리가 선거를 통해 뽑아야 할 지도자의 덕목에 관해 많은 가르침을 주고 있다. 필자는 그 중에서, 지혜와 이해력(잠언 2:1-9), 정의와 공의(잠언 3:27-29), 용기와 강건함(잠언 28:1), 청렴과 도덕성(잠언 20:7), 겸손과 배려(잠언 11:2), 듣는 귀와 말하는 입(잠언 18:13-15), 사랑과 화평(잠언 14:34), 미래를 준비하는 지혜(잠언 22:3), 하나님을 경외하는 마음(잠언 14:2), 끊임없는 자기 개발(잠언 4:7) 등 10가지를 '지도자가 갖춰야 할 바람직한 덕목'으로 분류하였다.

1.　올바른 판단과 결정을 내리기 위한 지혜와 이해력

지도자는 세상을 바르게 이해하고, 그에 따라 올바른 행동을 해야 하며, 그 지혜를 바탕으로 어려운 상황에도 현명하게 대처할 수 있어야 한다.

2. 사회의 질서와 평화를 유지하기 위한 정의와 공의

   지도자는 모든 사람에게 공평하고 공정한 대우를 해야 하며, 약자와 소외된 사람들을 보호하여야 한다.

3. 어려움과 역경을 극복하기 위한 용기와 강건함

   지도자는 올바른 일을 위해 두려움 없이 나서고, 어려움을 견뎌내고 끝까지 포기하지 않아야 한다.

4. 신뢰를 얻기 위한 청렴과 도덕성

   지도자는 부정과 부패에 물들지 않아야 하며. 올바른 가치관과 윤리에 따라 행동해야 한다.

5. 다른 사람들과 조화를 이루기 위한 겸손과 배려

   지도자는 자신의 능력과 위치를 과시하지 않아야 하며, 다른 사람들의 입장과 감정을 헤아릴 줄 알아야 한다.

6. 올바른 의사소통을 하기 위한 듣는 귀와 말하는 입

   지도자는 다른 사람들의 의견과 생각을 경청하여야 하며, 자신의 생각과 의견을 명확하고 설득력 있게 표현할 수 있어야 한다.

7. 사회에 안정과 평화를 가져오기 위한 사랑과 화평

   지도자는 다른 사람들을 진심으로 아끼고 배려하며, 갈등과 분쟁을 해결하고 조화를 이룰 수 있어야 한다.

8. 사회를 발전시키기 위한 미래를 준비하는 지혜

   지도자는 현재의 상황을 정확하게 분석하고, 그에 따라 미래를 대비할 수 있어야 한다.

9. 올바른 길을 걸을 수 있도록 하는 하나님을 경외하는 마음

   지도자는 하나님께서 주신 권위를 존중하고, 하나님의 뜻에

따라 행동해야 한다.

10. 사회에 기여하기 위한 끊임없는 자기 개발
    지도자는 자신의 지식과 능력을 향상시키고, 새로운 것을 배
    우는데 힘써야 한다.

사실, 이 덕목들은 지도자에게만 해당하는 것은 아니다. 우리 모두에게 필요한 덕목이며, 사람의 됨됨이를 알아보는 척도가 될 것이다.

네가 무엇을 하든지 주님을 의지하라. 그러면 너의 계획은 성공할 것이다. (잠언 16:3)

필자는 유권자들이 위의 덕목들을 국회의원은 물론, 지방자치 단체의 장, 지방의회 의원, 대통령 등 투표권을 행사하는 모든 선거에서 자신을 대리하는 대표자를 뽑을 때 선택의 기준으로 삼기를 바란다. 적어도 이러한 덕목들을 갖춘 지도자라면 사회를 올바른 방향으로 이끌고, 국민들의 삶을 더 풍요롭게 만들 수 있을 것이라 믿기 때문이다.

사악한 전달자는 문제만을 일으킨다. 그러나 신뢰할 수 있는 전달자는 모든 것을 바로잡는다.
(잠언 13:17)

"민주주의의 꽃은 선거"라는 말이 있다. 선거가 민주주의의 핵심 요소이며, 민주주의의 발전과 유지에 중요한 역할을 한다는 뜻일 것이다. 따라서 유권자들은 선거의 중요성을 인식하고, 올바른 지도자를 뽑아야 한다. 그것이 민주주의의 구성원인 유권자가 자신의 더 나은 미래와 삶의 행복을 위해 해야 할 가장 중요한 역할이다.

너의 눈길을 옳은 것에 집중하라. 좋은 것을 향하여 앞을 똑바로 보라. (잠언 4:25)

　　대변혁의 시대인 현재, 이 세상에서 일어나고 있는 모든 문제들은 급변하는 과학기술, 광활한 우주, 그리고 지구에서 일어나는 갖가지 현상을 바르게 이해하지 못하기 때문이다. 모르는 것은 배우고, 잘못은 바로잡아 문제를 해결하는 지도자가 필요한 시기다.

배우기를 좋아하는 사람은 잘못을 지적 받는 것을 수용한다. 그러나 잘못을 지적 받는 것을 싫어하는 사람은 어리석은 사람이다. (잠언 12:1)

　　따라서, 2024년 총선을 시작으로 앞으로의 모든 선거에서, 우리 유권자들이 현명한 투표권을 행사해야 한다. 유권자는 보수나 진보의 이념과 눈앞의 당리당략을 떠나 미래를 내다보고, 국가 및

사회가 당면한 문제들을 바르게 이해하고 해결할 수 있는 바람직한 지도자의 덕목을 갖춘 지도자를 뽑아야 한다. 물론, 우리 유권자들은 그런 후보자를 고를 수 있는 안목을 길러야 한다.

> 많은 금이 있고, 많은 루비가 있다. 그러나 지식을
> 가지고 말하는 사람은 소수에 불과하다.
> (잠언 20:15)

국가와 민족 그리고 우리 개개인의 보다 밝고 희망찬 미래를 위해, 우리는 오로지 자기 영달만을 목적으로 하는 사심이 가득한 이기적 욕심쟁이들을 과감히 낙선시켜야 한다. 유권자의 한 표 한 표의 힘을 보여주어야 한다.

> 이기적인 사람은 부자가 되기 위해 허겁지겁한다.
> 그는 자신의 이기심이 자신을 가난하게 할 것이라
> 는 것을 깨닫지 못한다. (잠언 28:22)

> 탐욕스러운 사람은 문제를 일으킨다. 그러나 주님
> 을 신뢰하는 사람은 성공할 것이다. (잠언 28:25)

이 글이 앞으로의 선거에 임하는 유권자들이 바람직한 지도자를 뽑는 데 도움이 되고, 유권자 본인도 민주 사회의 구성원이며 지도

자로서 행복한 삶을 살아가는데 빛과 소금의 역할을 하게 되기를 바란다.

네가 하는 모든 일에서 주님을 위해 기도하라. 그러면 주님이 너에게 성공을 주실 것이다. (잠언 3:6)

※ 이 책에 사용된 모든 잠언 구절은 필자가 읽는 영어 성경책 The ICB Holy Bible 2021 by Thomas Nelson 및 인터넷 웹사이트 Bible Gateway의 영어 성경, The Holy Bible, International Children's Bible 1986, 1988, 1999, 2015 by Thomas Nelson의 영어 성경 구절을 필자가 우리말로 번역하였다.

제1장

바람직한 지도자의 덕목

선을 구하는 사람은 누구든지 호의를 얻을 것이다. 그러나 악을 찾는 사람은 누구든지 문제를 만날 것이다. (잠언 11:27)

왕들은 포도주를 마시지 말아야 한다. 통치자들은 맥주를 탐해서는 안 된다.
통치자가 술을 마시면, 법을 잊어버릴 수 있다. 그리고 통치자가 빈곤한 사람들이 그들의 권리를 얻는 것을 방해할 수 있다. (잠언 31:4-5)

우유를 저으면 버터가 만들어진다. 코를 비틀면 피가 난다. 그리고 노여움을 자극하면 문제가 생긴다. (잠언 30:33)

1. 지혜와 이해력

지혜와 이해력은 인간이 올바른 판단과 결정을 내리기 위해 꼭 필요한 덕목이다. 솔로몬왕은 지혜가 금보다 낫고, 이해력이 은보다 낫다고 말하며 지혜와 이해력의 중요성을 강조한다.

> **지혜를 얻는 것이 금을 얻는 것보다 낫다. 이해력을 선택하는 것이 은을 선택하는 것보다 낫다.**
> **(잠언 16:16)**

특히, 지도자는 세상을 바르게 이해하고, 그에 따라 올바른 행동을 해야 하며, 그 지혜를 바탕으로 어려운 상황에도 현명하게 대처할 수 있어야 한다. 솔로몬왕은 지혜의 보상(잠언 2:1-9)을 다음과 같이 말한다.

> **내 아이야, 내 말을 믿어라. 그리고 내가 너에게 명령하는 것을 기억하여라.**

지혜에 귀를 기울여라. 온 마음을 다해 이해력을
얻기 위해 노력하여라.
지혜를 간절히 바라라. 이해력을 간청하여라.
은을 찾는 것처럼 지혜를 구하여라. 숨겨진 보물처
럼 이해력을 찾아라.
그러면 주님을 존중한다는 것이 무엇을 의미하는지
이해하게 될 것이다. 그러면 하나님을 알기 시작하
게 될 것이다.
오직 주님만이 지혜를 주신다. 지식과 이해력은 주
님에게서 나온다.
주님은 정직한 사람들을 위하여 지혜를 쌓아 두신
다. 주님은 선량한 사람들을 방패처럼 보호하신다.
주님은 다른 사람들에게 공정한 사람들을 지키신다.
주님은 자신에게 충실한 사람들을 보호하신다.
그러면 정직한 것과 공정한 것과 올바른 것을 이해
하게 될 것이다. 선한 것을 이해하게 될 것이다.
(잠언 2:1-9)

이 내용은 솔로몬 왕이 자신의 자녀들과 후손들에게 지혜와 도
덕성에 대해 가르치는 내용으로 보인다. 솔로몬 왕은 사람들에게
지혜가 얼마나 중요한지 강조하고, 무엇보다도 지혜를 얻기 위해
노력해야 함을 당부하고 있다.

지혜로운 사람은 그의 지혜로 보상을 받는다. 그러
나 지혜를 비웃는 사람은 그 행위로 고통을 받을

것이다. (잠언 9:12)

그리고 지혜를 이해하게 되면, 우리는 정직하고 공정하고 옳은 삶을 살 수 있게 된다고 말한다.

> **지혜는 네가 훌륭한 사람이 되도록 도울 것이다.**
> **지혜는 네가 옳은 일을 하도록 도울 것이다.**
> (잠언 2:20)

우리가 정직한 삶, 공정한 삶, 옳은 삶을 살도록 이끄는 것이 지혜와 이해력이라는 것이다.

> 분별력이 너를 보호할 것이다. 이해력이 너를 지킬 것이다.
> 분별력은 네가 악을 행하지 않도록 막아줄 것이다.
> 이해력은 나쁜 말을 하는 사람들로부터 너를 보호 해줄 것이다. (잠언 2:11-12)

2. 정의와 공의

    정의와 공의는 사회의 질서와 평화를 유지하기 위해서 없어서는 안 될 소중한 덕목이다. 심지어 잠언(4:27)은 옳은 일이 아니라면 어떤 일도 하지마라고 강하게 말한다.

> **옳은 일이 아니라면 어떤 일도 하지 마라. 악을 멀리하여라. (잠언 4:27)**

    그러나, 사람이 어떤 일도 하지 않고 지낼 수는 없다. 이 말은 우리에게 어떤 경우라도 옳은 일을 하는 사람이 되어야 한다고 말하는 것이다.

> **죽을 때가 되었을 때 재물은 도움이 되지 않을 것이다. 그러나 옳은 일을 하는 것은 너무 일찍 죽는 것으로부터 너를 구할 것이다. (잠언 11:4)**

옳은 일을 하는 것은 정직한 사람들에게 자유를 가
져온다. 그러나 믿을 수 없는 사람들은 그들 자신
의 욕망에 사로잡히게 될 것이다. (잠언 11:6)

너는 악한 사람들이 벌을 받을 것이라는 것을 확신
할 수 있다. 그러나 옳은 일을 하는 사람들은 벌을
받지 않을 것이다. (잠언 11:21)

특히, 지도자는 모든 사람에게 공평하고 공정한 대우를 해야 하
며, 약자와 소외된 사람들을 보호하여야 한다. 잠언(3:27-29)은
이웃에게 선을 행함으로 정의와 공의를 실천하라고 말한다.

너의 능력이 될 때마다, 도움이 필요한 사람들에게
선을 행하여라.
이웃 사람이 구하는 것을 네가 가지고 있다면, "다
음에 오세요. 내일 주겠습니다"라고 말하지 마라.
이웃 사람을 해칠 계획을 세우지 마라. 그는 근처
에 살고 있으며 너를 신뢰한다. (잠언 3:27-29)

이웃을 사랑하고 서로 돕는 것은 우리 모두가 함께 살아가는
사회를 더욱 따뜻하고 아름답게 만드는 소중한 가치이다.

따라서 우리는 이웃과 어떻게 살아야 하는지, 어떤 태도를 가져
야 하는지에 대해 배우고 실천해야 한다. 특히 지도자는 어려운

사람들의 권리 옹호에 앞장서야 한다.

공평하게 판단하고 공정하게 말하여라. 가난한 사람들과 어려운 사람들의 권리를 옹호하여라.
(잠언 31:9)

---

3. 용기와 강건함

용기와 강건함은 어려움과 역경을 극복하기 위해 필요한 지도자의 덕목이다.

> 현명한 사람은 인내심이 있다. 만일 그가 자신에게 불리하게 행해진 타인의 잘못을 무시한다면 그는 공경 받게 될 것이다. (잠언 19:11)

특히, 지도자는 올바른 일을 위해 두려움 없이 나서고, 어려움을 견뎌내고 끝까지 포기하지 않아야 한다.

> 만일 네가 문제가 닥쳤을 때 포기한다면, 그것은 네가 힘이 거의 없다는 것을 보여주는 것이다. (잠언 24:10)

잠언(28:1)은 선한 사람이 용감할 수 있다고 말한다. 선한 사람들이 지도자가 되어야 하는 이유다.

악한 사람들은 아무도 쫓아오지 않아도 도망친다.
그러나 선한 사람들은 사자처럼 용감하다.
(잠언 28:1)

이 구절은 악한 사람들은 항상 불안과 내면의 두려움에 시달리게 되지만, 선한 사람들은 자신들이 가진 내면의 가치와 정의감으로 용기를 가지고 살아갈 수 있다는 의미를 담고 있다. 또 악한 마음과 선한 마음의 두 가지 성향과 그 선과 악의 결과를 대비하여 강조하고 있다.

선량한 사람이 일곱 번 고난으로 곤경에 처할 수 있지만, 그는 포기하지 않는다. 그러나 사악한 사람들은 고난에 압도당한다. (잠언 24:16)

다시 말해, 악인들은 항상 자신들이 저지른 행위에 대한 두려움과 불안감에 시달리며, 마음의 평안이 없고, 항상 긴장하여 불안한 삶을 살 수밖에 없다.

악한 사람은 자신의 악한 길에 사로잡히게 될 것이

다. 악한 사람은 자신의 죄가 마치 밧줄인 것처럼
죄로 묶이게 될 것이다. (잠언 5:22)

반면에, 선하고 착한 사람들은 그들의 도덕적인 행동과 의로움을 지니고 있을 뿐 아니라 강인한 마음도 가지고 있다. 따라서 그들은 옳은 일을 위해 용감하게 맞서며, 고난 속에서도 인내할 줄 알며, 흔들림 없이 강인하고 당당한 모습을 보여준다는 점을 강조하고 있다.

인내심이 힘보다 더 낫다. 너의 성질을 다스리는
것이 한 도시를 점령하는 것보다 더 낫다.
(잠언 16:32)

---

4. 청렴과 도덕성

청렴과 도적성은 다른 사람들에게 신뢰를 얻기 위해서 필요한 덕목이다. 우선, 지도자는 부정과 부패에 물들지 않아야 한다.

재물을 신뢰하는 사람들은 몰락하게 될 것이다. 그러나 선한 사람은 푸른 나뭇잎처럼 건강해질 것이다. (잠언 11: 28)

잠언(20:7)은 내가 정직한 삶을 살면, 자녀들이 복을 받을 것이라고 말한다.

정직한 삶을 사는 선한 사람은 그의 자녀들에게 축복이 된다. (잠언 20:7)

또한, 지도자에게는 높은 도덕성이 요구된다. 지도자는 올바

른 가치관과 윤리에 따라 행동해야 한다.

주님은 네가 하는 모든 일을 보신다. 주님은 네가 어디로 가는지를 지켜보신다.
악한 사람은 자신의 악한 길에 사로잡히게 될 것이다. 악한 사람은 자신의 죄가 마치 밧줄인 것처럼 죄로 묶이게 될 것이다.
사악한 사람은 그가 자신을 통제하지 못하기 때문에 죽게 될 것이다. 사악한 사람은 자신의 어리석음에 사로잡히게 될 것이다. (잠언 5:21-23)

선하게 사는 사람들은 그들의 삶의 방식이 자녀들에게 좋은 영향을 준다고 말한다. 착한 사람들은 정직하고 정의롭게 살아가며, 다른 사람들을 배려하고 사랑하는 마음도 가지고 있다. 이러한 삶의 태도는 자녀들에게도 자연스럽게 전달되어, 자녀들이 선하고 바른 인격을 갖추도록 도와주게 될 것이다. 부모의 삶이 본이 되어 자녀들에게 성공의 토대를 마련해 줄 수 있을 것이다.

잠언(10:3)은 그런 사람들은 하나님께서 지켜 주신다고 말한다.

주님은 바르게 사는 사람들이 굶주리게 하지 않는다. 그러나 주님은 악한 사람들이 갈망하는 것을 얻도록 허용하지 않는다. (잠언 10:3)

따라서, 선한 사람들은 자녀들에게 축복이 되는 사람이라고 말할 수 있을 것이다.

주님은 정직한 사람들을 위하여 지혜를 쌓아 두신다. 주님은 선량한 사람들을 방패처럼 보호하신다. (잠언2:7)

---

5. 겸손과 배려

겸손과 배려는 다른 사람들과 조화를 이루어 가는데 필수적 덕목이다. 잠언(11:2)은 현명한 사람은 교만하지 않다고 말한다.

> 교만은 부끄러움으로 이어질 뿐이다. 교만하지 않는 것이 현명하다. (잠언 11:2)

그러므로, 지도자는 자신의 능력과 위치를 과시하지 않아야 하며, 다른 사람들의 입장과 감정을 헤아릴 줄 알아야 한다. 무엇보다, 국민을 위한 지도자가 되어야 한다.

> 가난한 사람들에게 잔인한 통치자들은 마치 모든 농작물을 파괴하는 폭우와 같다. (잠언 28:3)

솔로몬 왕은 지도자들에게 교만의 결과에 대해 경고하고 있다.

교만은 다른 사람을 무시하고, 자신의 능력을 과신하는 태도다. 이러한 태도는 결국 다른 사람의 비난과 따돌림을 받게 되고, 결국 수치와 후회로 이어지게 된다는 것을 역사는 말하고 있다.

> 사악한 통치자는 가난한 사람들에게 포효하는 사자나 돌진하는 곰만큼이나 위험하다.
> 잔인한 통치자는 지혜가 없다. 그러나 부정직하게 취한 돈을 미워하는 사람은 오래 살 것이다.
> (잠언 28:15-16)

따라서, 지도자는 교만하지 않아야 하며, 그렇게 처신하는 것이 지혜로운 일이다. 다른 사람을 존중하고, 겸손하게 대하는 태도는 다른 사람과의 관계를 원만하게 유지하고, 지도자로 성공하는 데 큰 도움이 될 것이다.

> 사람의 교만은 그를 망칠 것이다. 그러나 겸손한 사람은 존경을 받을 것이다. (잠언 29:23)

6. 듣는 귀와 말하는 입

지도자는 다른 사람들의 의견과 생각을 경청하여야 하며, 자신의 생각과 의견을 명확하고 설득력 있게 표현할 수 있어야 한다.

때때로 너는 너무 빨리 말하는 사람들을 만난다. 너무 빨리 말하는 사람들보다는 어리석은 사람에게 더 희망이 있다. (잠언 29:20)

또한, 모든 의사소통에서는 귀를 기울여 듣는 경청(傾聽)이 우선이어야 한다.

듣지 않고 대답하는 사람은 어리석고 수치스러운 일을 하는 것이다. (잠언 18:13

잠언(18:13-15)은 바른 의사소통을 위해서는 듣는 귀와 말하는

입이 제대로 사용되어야 함을 강조한다.

> 듣지 않고 대답하는 사람은 어리석고 수치스러운
> 일을 하는 것이다.
> 다툼을 시작하는 것은 댐에서 새는 물과 같다. 그
> 러므로 싸움이 시작되기 전에 다툼을 멈추어라.
> 영리한 사람의 마음은 지식을 얻을 준비가 되어있
> 다. 현명한 사람은 더 많이 배우기 위해 귀를 기울
> 인다. (잠언 18:13-15)

누구나 마찬가지이지만, 특히 지도자들은 말하기 전에 먼저 듣
고, 배우려는 마음을 갖는 것이 중요하다.

> 선량한 사람들은 그들이 대답하기 전에 생각한다.
> 그러나 사악한 사람들은 단지 악한 대답을 할 뿐이
> 다. (잠언 15:28)

지도자의 경솔한 말은 자신에게 부끄러움을 가져올 수 있으며,
많은 다른 사람들에게 실망과 좌절을 줄 수 있기 때문이다.

> 선한 사람들의 영향은 공동체를 위대하게 만든다.
> 그러나 사악한 사람들은 그들의 말로 공동체를 파

멸시킬 수 있다. (잠언 11:11)

___

지도자는 많은 사람들에게 영향력을 행사하는 사람이기 때문에, 매사에 올바른 판단을 내리고 현명한 행동을 하여야 한다.

___

부드러운 대답은 한 사람의 분노를 가라앉힐 것이다. 그러나 불친절한 대답은 더 큰 화를 불러일으킬 것이다. (잠언 15:1)

선한 사람들은 그들이 대답하기 전에 생각한다. 그러나 악한 사람들은 단순히 악한 대답을 한다. (잠언 15:28)

___

또한, 지도자는 어떤 상황에 있건 적절한 때에 적합한 말을 할 수 있어야 한다.

___

사람들은 좋은 대답을 하는 것을 즐긴다. 적절한 때에 적절한 단어를 말하는 것은 정말로 즐거운 일이다. (잠언 15:23)

___

무엇보다도 지도자는 말에 신중해야 한다. 우리는 뉴스를 통해 정치가들과 사회의 지도급 인사들의 부주의한 말 때문에 생겨나는 많은 문제들을 수시로 접하고 있다. 잠언(12:18)은 부주의한 말과 신중한 말의 차이에 대해 말하고 있다.

부주의한 말은 칼처럼 찌른다. 그러나 신중한 말은 치유를 가져온다. (잠언 **12:18**)

잠언(4:24)은 우리의 입은 진실을 말하는데 사용되어야 한다고 말한다.

거짓말을 말하기 위해 입을 사용하지 마라. 사실이 아닌 것을 결코 말하지 마라. (잠언 **4:24**)

---

7. 사랑과 화평

사랑과 화평은 사회에 안정과 평화를 가져오는데 중요한 덕목이다. 잠언(14:34)은 국가를 위대하게 만드는 것은 옳은 일을 하는 것이라고 말한다.

> 옳은 일을 하는 것은 국가를 위대하게 만든다. 그러나 죄는 모든 사람에게 수치심을 가져올 것이다. (잠언 14:34)

사랑과 화평이 없는 국가 및 사회는 위대해 질 수 없다. 따라서, 지도자는 다른 사람들을 진심으로 아끼고 배려하며, 갈등과 분쟁을 해결하고 조화를 이룰 수 있어야 한다. 그것이 지도자가 해야 함 옳은 일이다.

> 나무가 열매를 맺듯이, 성품이 좋은 사람은 다른 사람들에게 생명을 준다. 지혜로운 사람은 다른 사

람들에게 지혜로워지는 방법을 가르쳐 준다.
(잠언 11:30)

한 국가나 사회의 발전과 쇠퇴는 지도자들이 어떤 사람들 인가에 따라 그 운명이 달라진다. 정의롭고 바른 의로운 행위는 국가를 영예롭고 강하게 하며 구성원들의 삶을 평화롭게 하는 원동력이 된다.

굳어진 빵 한 조각을 평화롭게 먹는 것이 다툼이 있는 곳에서 잔치를 벌이는 것 보다 더 낫다.
(잠언 17:1)

반대로 지도자들이 저지르는 죄악, 즉 부정과 잘못된 행위는 국가 및 사회에 불명예를 가져오며 쇠퇴의 길로 이끌 수 있다.

왕들은 포도주를 마시지 말아야 한다. 통치자들은 맥주를 탐해서도 안 된다.
통치자가 술을 마시면, 법을 잊어버릴 수 있다. 그리고 통치자가 빈곤한 사람들이 그들의 권리를 얻는 것을 방해할 수 있다. (잠언 31:4-5)

따라서, 아무리 사소한 범죄 경력이라 할지라도, 범죄경력자를 우리를 대표하는 지도자로 뽑아서는 안 될 것이다.

어떤 사람들은 그들이 옳은 일을 하고 있다고 생각
한다. 그러나 결국 그 일이 그들을 죽음에 이르게
한다. (잠언 16:25)

---

8. 미래를 준비하는 지혜

국가와 민족, 그리고 사회를 발전시키기 위해서는 불확실한 미래를 준비하는 지혜가 필요하다. 잠언(22:3)은 위험이 닥치면 그 위험을 피할 수 있는 현명한 사람이 되어야 한다고 강조한다.

현명한 사람은 앞에 있는 위험을 보면, 그 위험을 피한다. 그러나 어리석은 사람은 계속 나아가 곤란에 부딪친다. (잠언 22:3)

그러므로, 지도자는 현재의 상황을 정확하게 분석하고, 그에 따라 미래를 대비할 수 있는 지혜를 가져야 한다.

나는 지혜다. 그리고 나는 생각하는 능력을 가지고 있다. 나는 또한 지식과 좋은 감각을 가지고 있다. 네가 주님을 존경한다면, 너는 또한 악을 싫어할 것이다. 교만과 자랑, 악한 길과 거짓말을 미워하는 것이 현명하다.
나에게는 분별력과 조언이 있다. 나에게는 이해력
과 힘이 있다. (잠언 8:12-14)

우리는 코로나19로 촉발된 대변혁의 시대를 살고 있다. 필자는 본인의 저서 「마음혁명 이야기」에서, "대변혁의 시대에 나를 지킬 수 있는 유일한 방법은 나의 마음을 다스리고 변화의 주도자가 되는 것"이라고 말한 바 있다.

지혜로운 사람은 그의 지혜로 보상을 받는다. 그러
나 지혜를 비웃는 사람은 그 행위로 고통을 받을
것이다. (잠언 9:12)

미래를 준비하는 것도 마찬가지다. '마음을 다스리고 변화의 주도자'가 되어야 가능한 일이다. 변화의 주도자가 되기 위해서는 생각하는 능력과 지식 그리고 좋은 감각을 가지고 있어야 한다.

나는 지혜다. 그리고 나는 생각하는 능력을 가지고
있다. 나는 또한 지식과 좋은 감각을 가지고 있다.
(잠언 8:12)

현명한 사람은 앞에 닥친 위험을 미리 예측하고 이를 피하기 위해 노력하며, 다른 사람의 충고에 귀를 기울인다. 반면에 어리석은 사람은 즉각적인 이익이나 욕망에 끌려 위험을 무시하거나 경계하지 않으며, 다른 사람의 충고를 따르지 않고 앞으로 나아가다 결국 문제를 겪게 된다. 필자도 잠언을 제대로 읽고 이해하기 전에는 그렇게 행동했던 아픈 경험이 있다.

교만은 논쟁에 이르게 한다. 그러나 충고를 듣는 사람들은 현명하다. (잠언 13:10)

---

9.   하나님을 경외하는 마음

우리 대한민국은 하나님의 도움을 받고 있는 나라다. 애국가1절
의 가사를 음미해보라.

동해물과 백두산이 마르고 닳도록
하느님이 보우하사 우리나라만세
무궁화 삼천리 화려강산
대한사람 대한으로 길이 보전하세 (애국가 1절)

하나님은 우리로 하여금 올바른 길을 걸을 수 있도록 인도한다.
잠언(14:2)은 선한 사람들은 하나님을 존경한다고 말하고 있다.

선한 삶을 사는 사람들은 주님을 존경한다. 그러나
악한 삶을 사는 사람들은 주님을 존경하지 않는다.
(잠언 14:2)

그러므로, 우리 모두는 하나님께서 주신 권위를 존중하고, 하나님의 뜻에 따라 행동해야 한다.

> 지혜는 주님을 존경하는 것에서 시작한다. 그리고 이해력은 거룩한 분, 하나님을 아는 것에서 시작한다. (잠언 9:10)

지도자는 착한 삶, 즉 윤리적 가치관을 따르고 남을 해치지 않는 삶을 살아야 한다. 그런 삶은 자연스럽게 하나님에 대한 존중과 경외를 동반한다. 결국 착한 삶을 사는 사람들은 하나님의 보호를 받게 될 것이다.

> 하나님의 모든 말씀은 신뢰할 수 있다. 하나님은 안전을 위해 그를 찾는 모든 사람들을 보호하신다. (잠언 30:5)

그러나 우리 사회에는 아직도 악한 삶, 즉 부정적인 행위와 남을 해치는 행동으로 살아가는 사람들이 있다. 이들의 삶은 결국 하나님에 대한 배척과 존중심의 결여로 이어지게 된다. 그런 삶을 살지 않기 위해서 우리는 하나님과 친구가 되어야 한다.

> 폭력을 사용하는 사람을 선망하지 마라. 그리고 그
> 들처럼 되는 것을 선택하지 마라. 하나님은 나쁜
> 짓을 행하는 사람들을 미워하신다. 그러나 하나님
> 은 정직한 사람들에게는 친구이다.
> (잠언 3:31-32)

또한, 잠언(14:26-27)은 하나님은 자신을 존경하는 사람에게는
반드시 보상한다고 말한다.

> 주님을 존경하는 사람은 안전할 것이다. 그리고 그
> 의 자녀들은 보호받을 것이다.
> 주님에 대한 존경이 생명을 준다. 그것은 죽음에서
> 사람을 구할 수 있는 샘물과 같다. (잠언 14:**26-27**)

지도자로서 명예를 지키고 부와 생명도 지키는 길은 행하는
일에서 하나님을 두려워하고 국민을 하나님 대하듯 하여야 할
것이다.

> 하나님을 존경하는 것과 교만하지 않는 것은 너에
> 게 부와 명예와 생명을 가져올 것이다.
> (잠언 **22:4**)

10. 끊임없는 자기 개발

대변혁의 시대를 사는 우리는 누구나 끊임없이 자기 개발에 힘써야 한다. 공부하지 않는 사람은 급변하는 세상에서 도태될 수밖에 없다. 누구보다도 지도자는 자신의 지식과 능력을 향상시키고, 새로운 것을 배우는데 더 힘써야 한다. 잠언(4:7)은 지혜를 얻고, 가진 모든 재산을 동원해서라도 이해력을 얻으라고 강조한다.

> 지혜가 가장 중요하다. 그러니 지혜를 얻어라. 만약 네가 가진 모든 것을 다 써야 한다 해도, 이해력을 얻어라. (잠언 4:7)

지도자에게 이해력은 정말 중요하다. 이해력은 올바른 것과 잘못된 것을 구별하는 능력이다. 이해력은 지혜와 연결되어 있으며, 의사결정, 문제 해결, 상황 판단을 할 때 결정적인 요소로 작용한다. 따라서 지도자에게 이해력은 절대적으로 필요한 덕목이다. 잠언(7:4)은 이해력을 가장 친한 친구로 삼으라 조언한다.

> 지혜가 마치 너의 누이인 것처럼 잘 대하라. 이해
> 력을 너의 가장 친한 친구로 만들어라. (잠언 7:4)

지혜는 삶의 문제를 해결하고 올바른 판단을 내리며 현명하게
행동하는 능력이다. 잠언(8:17-21)은 우리에게 지혜를 사랑하면
얻을 수 있는 것에 대해 말한다.

> 나(지혜)는 나를 사랑하는 사람들을 사랑한다. 나를
> 원하는 사람들은 나를 찾는다.
> 재물과 명예는 나의 것이다. 부와 지속적인 성공도
> 마찬가지이다.
> 내가 주는 것은 가장 질 높은 금보다 더 좋다. 내
> 가 주는 것은 순은보다 더 좋다.
> 나는 옳은 일을 합니다. 나는 공정한 일을 한다.
> 나는 나를 사랑하는 사람들에게 부를 준다. 나는
> 보물로 그들을 만족시킨다. (잠언 8:17-21)

잠언(23:23)은 무엇보다 진리를 배우는데 힘써야 한다고 말한다.

> 진리를 배워라. 그리고 절대로 그 진리를 거부하지
> 마라. 지혜와 자제력 그리고 이해력을 얻어라.
> (잠언23:23)

끊임없는 자기개발이야 말로 변화가 극심한 대변혁의 시대에 자신을 지키고 국가와 민족 그리고 자신의 공동체를 발전시키는 밑걸음이 될 것이다.

선한 사람들의 영향은 공동체를 위대하게 만든다. 그러나 사악한 사람들은 그들의 말로 공동체를 파멸시킬 수 있다. (잠언 11:11)

대변혁의 시대인 현재 이 세상에서 일어나고 있는 모든 문제들은 급변하는 과학기술, 우주 및 지구의 현상을 바르게 이해하지 못하기 때문이다.

이번 총선에서 유권자들은 보수니 진보니 하는 당리당략을 떠나고, 오직 자기 영달만을 목적으로 하는 사심이 가득한 이기적 욕심장이가 아니라, 미래를 내다보고 공부하는 지도자, 국민을 위해 사회를 위해 당면한 문제들을 해결할 수 있는 지도자를 뽑아야 한다.

사람은 자신이 한 말에 대해 보상을 받게 될 것이다. 그리고 사람은 또한 그가 한 일에 대해 보상을 받게 될 것이다. (잠언 12:14)

제2장

바람직한 유권자 상

너의 어리석은 방식을 그만두어라. 그러면 살 것이다. 이해력이 있는 사람이 되어라. (잠언 9:6)

지혜는 주님을 존경하는 것에서 시작한다. 그리고 이해력은 거룩한 분, 하나님을 아는 것에서 시작한다.

만일 네가 지혜롭게 산다면, 오래 살게 될 것이다. 지혜가 너의 삶에 몇 년을 더할 것이다.

지혜로운 사람은 그의 지혜로 보상을 받는다. 그러나 지혜를 비웃는 사람은 그 행위로 고통받을 것이다. (잠언 9: 10-12)

1. 유권자의 날

유권자의 날에 대해 아는가? 2012년 1월 17일자 중앙선거관리위원회의 보도자료에 따르면, 우리나라에서는 2012년부터 매년 5월 10일을 '유권자의 날'로 하고, 유권자의 날부터 1주일을 '유권자 주간'으로 정하여 기념하고 있다.

중앙선관위는 '유권자의 날' 제정 배경에 대해 대의민주제에서 국민주권의 가장 중요한 실현과정인 선거와 투표참여의 중요성에 대한 인식을 공유하고 유권자의 권한과 책임 등에 관하여 그 의미를 되새기고 조명함으로써 민주정치 발전에 기여하기 위한 것이라고 밝혔다.

5월 10일을 '유권자의 날'로 정한 것은 우리나라에서 보통·평등·직접·비밀선거라는 민주적 선거제도를 도입하여 최초로 치러진 1948년 5월 10일의 국회의원 총선거일을 기리기 위함이라고 한다.

5. 10 총선거에 따라 대한민국 헌정사상 최초로 제헌의회가 구성되었으며, 제헌의회에서는 대한민국 헌법을 제정하고 대한민국 정부를 탄생시키는 등, 5. 10 총선거는 우리나라 민주정치의 출발점이 되었다.

서구 민주국가들이 수백 년의 투쟁을 거친 후 대부분 20세기에 들어와서야 단계적으로 성별이나 재산, 인종에 따른 차별을 철폐하여 보통선거의 원칙이 확립되었으나, 우리나라는 5. 10 총선거를 통하여 현대적 의미의 선거원칙이 확립되었다는 점에 그 역사적 의미를 둘 수 있다.
(중앙선거관리위원회 보도자료 2012. 1. 17)

이렇게 유권자의 날이 제정되어 시행되고 있는 것은 '공직선거법 제6조(선거권행사의 보장) 5항'에 따른 것이다. 5항의 내용은 다음과 같다.

선거의 중요성과 의미를 되새기고 주권의식을 높이기 위하여 매년 5월 10일을 "유권자의 날"로, 유권자의 날부터 1주간을 "유권자 주간"으로 하고, 각급선거관리위원(읍 · 면 · 동선거관리위원회를 제외한다)는 공명선거 추진활동을 하는 기관 또는 단체 등과 함께 유권자의 날 의식과 그에 부수되는 행사를 개최할 수 있다.

유권자의 날의 제정은 모든 선거는 '유권자가 중심이 되는 축제의 선거'가 되어야 함을 알린 것이라 볼 수 있다. 그러므로, 모든 유권자들은 주인의식을 가지고 모든 선거에 성실히 임해야 할 것이다.

악을 행하는 사람은 전혀 안전하지 못하게 된다. 그러나 선량한 사람은 안전하고 안전을 보장받게 된다. (잠언 12장3절)

---

2. 유권자의 권리

유권자의 권리는 투표권이 있는 각종 선거에 참여하여 자신의 의사를 표현하고, 국가 또는 자신이 속한 공동체의 발전을 위한 정책을 결정할 수 있는 권리이다.

따라서 모든 유권자는 자신의 권리를 바르게 행사하여 자리에 합당한 지도자를 뽑아야 한다.

여름에 눈이 오거나 수확할 때 비가 오면 안 된다. 마찬가지로 어리석은 사람이 결코 존경받아서는 안 된다. (잠언 26장 1절)

선거권(대한민국헌법 제 24 조, 공직선거법 제 6 조), 피선거권, 공직선거에 관한 정보 접근권, 투표의 비밀보장권 등이 대표적인 유권자의 권리이다.

대한민국헌법
제24조 모든 국민은 법률이 정하는 바에 의하여
선거권을 가진다.

공직선거법 제6조(선거권행사의 보장) ① 국가는 선
거권자가 선거권을 행사할 수 있도록 필요한 조치
를 취하여야 한다.

첫째, 선거권은 국민이 선거에 참여할 수 있는 권리이며, 국민
의 주권을 행사하는 가장 기본적인 권리이다. 그런데 많은 사람들
은 이 기본적인 권리를 행사하지 않고 포기하는 경우가 많아 정
말 안타깝다. 각종 선거의 역대 투표율로 우리는 많은 유권자들이
소중한 권리인 선거권을 포기하고 있는 것을 알 수 있다.

가. 역대 대통령선거 투표율 (제16대[2002년] - 제20대[2022년])

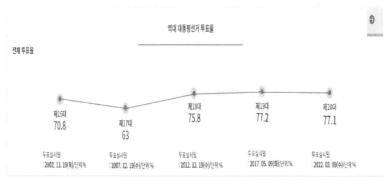

표1) 역대 대통령선거 투표율 (출처: 중앙선거관리위원회)

나. 역대 국회의원선거 투표율 (제17대[2004년] - 제21대[2020년])

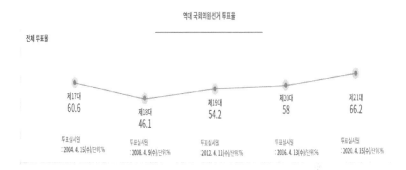

표2) 역대 국회의원선거 투표율 (출처: 중앙선거관리위원회)

다. 역대 동시지방선거 투표율(제4회[2006년] - 제8회[2022년])

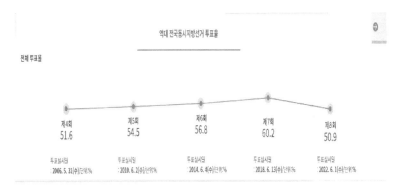

표3) 역대 동시지방선거 투표율 (출처: 중앙선거관리위원회)

둘째, 피선거권은 국민이 선거의 후보자로 출마할 수 있는 권리이며, 국민이 정치에 참여할 수 있는 중요한 권리이다.

셋째, 공직선거에 관한 정보에의 접근권은 유권자가 후보자와 정책에 대한 정보를 얻을 수 있는 권리이다. 유권자는 이러한 정보를 바탕으로 자신의 의사를 합리적으로 결정할 수 있다.

넷째, 투표의 비밀 보장권은 유권자가 자신의 의사를 자유롭게 표현할 수 있는 권리이다. 투표를 할 때 비밀이 보장되어야 유권자는 다른 사람의 눈치를 보거나 어떤 억압도 받지 않고 자신의 의사를 자유롭게 그리고 정확하게 표현할 수 있다.

유권자가 선거권을 행사하는 것은 옳은 일을 하는 것이고, 우리가 누리는 자유를 보장하게 될 것이다.

옳은 일을 하는 것은 정직한 사람들에게 자유를 가져다준다. 그러나 믿을 수 없는 사람들은 그들 자신의 욕망에 사로잡히게 될 것이다. (잠언 11:6)

---

3. 유권자의 의무

유권자는 자신에게 선거권이 주어지는 모든 선거에 참여하여 자신의 정확한 의사를 표현하고, 국가 및 사회의 발전을 위해 노력할 의무가 있다.

유권자의 의무에는 투표의무(공직선거법 제6조), 후보자의 정책 이해에 대한 의무 등이 있다.

공직선거법 제6조(선거권행사의 보장) ④선거권자는 성실하게 선거에 참여하여 선거권을 행사하여야 한다.

첫째, 투표의무는 유권자가 선거에 참여하여 투표를 해야 하는 의무로, 국민의 주권을 행사하기 위한 기본적인 의무이다.

둘째, 후보자와 정책에 대한 이해의무는 유권자가 후보자와 정책에 대해 충분히 이해하고, 자신의 의사를 합리적으로 결정해야 하는 의무이다.

셋째, 선거질서 유지의무는 유권자가 선거가 정해진 규칙안에 공정하고 평화롭게 진행될 수 있도록 노력해야 하는 의무입니다.

따라서 유권자는 자신의 권리를 행사하는 동시에, 자신의 의무도 다해야 한다. 그것이 민주주의의 발전과 국가 및 사회의 발전에 기여하는 일이다.

선한 사람들의 영향은 공동체를 위대하게 만든다. 그러나 사악한 사람들은 그들의 말로 공동체를 파멸시킬 수 있다. 잠언 11:11

---

4. 유권자의 역할

유권자는 어떤 역할을 할 수 있을까?

첫째로, 유권자는 국민의 주권을 행사하는 역할을 할 수 있다. 국민은 선거를 통해 자신의 대표자를 직접 선출함으로써 주권을 행사하는 것이다. 따라서 유권자는 선거를 통해 자신의 의사를 표현하고, 그 의사에 따라 국가 및 지방자치단체를 이끌어갈 대표자를 선택할 수 있다 그러므로, 유권자는 자신의 정치적 지향과 가치관에 따라 투표해야 한다. 그렇게 해야만, 국민의 의사가 정치에 정확하게 반영될 수 있기 때문이다.

둘째로, 유권자는 국가 및 지방자치단체의 발전을 위한 정책을 결정하는 역할을 할 수 있다. 선거를 통해 선출된 대표자는 국가 및 지방자치단체를 이끌어가는 중요한 역할을 한다. 따라서 유권자는 후보자의 능력과 자질, 그리고 정책을 잘 평가하여야 한다, 유권자는 후보자의 공약, 이력, 경력, 발언 등을 꼼꼼하게 살펴보고, 다양한 통로를 통해 후보자에 대한 정보를 얻어야 한다. 선거에서 국가 및 지방자치단체의 발전을 위한 정책을 공약으로 내세

운 정직하고 바른 인성을 지닌 후보자를 선택함으로써 국가 및 지방자치단체의 발전을 위한 정책을 결정할 수 있게 되는 것이다.

> 옳은 일을 하는 것은 정직한 사람들에게 자유를 가져온다. 그러나 믿을 수 없는 사람들은 그들 자신의 욕망에 사로잡히게 될 것이다. (잠언 11:6)

셋째로, 정치적 안정과 발전을 촉진하는 역할을 할 수 있다. 선거는 국민의 정치적 참여를 확대하고, 정치적 갈등을 완화하는 데 기여한다. 따라서 유권자는 선거에 적극적으로 참여함으로써 정치적 안정과 발전을 촉진할 수 있는 것이다.

마지막으로, 유권자는 선거 이후에도 정치에 관심을 갖고 적극 참여하는 역할을 해야 한다. 선거 이후에도 유권자의 목소리는 당연히 정치에 반영되어야 한다. 유권자는 후보자에게 의견을 전달하고, 정치 전반과 정책 실행 등에 대한 건전한 비판과 발전적 제안을 할 수 있다.

> 다른 사람들에게 베푸는 사람은 더욱 부유해질 것이다. 다른 사람들을 돕는 사람은 누구든지 자신도 도움을 받게 될 것이다. (잠언 11:25)

5. 바람직한 유권자상의 특징

민주주의 사회가 발전하고 지속가능하기 위해서는 바람직한 지도자에 못지않게 바람직한 시민, 곧 바르게 투표하는 유권자가 있어야 한다. 필자가 생각하는 바람직한 유권자상의 특징은 다음과 같다.

> 영리한 사람의 마음은 지식을 얻을 준비가 되어있다. 현명한 사람은 더 많이 배우기 위해 귀를 기울인다. (잠언 18:15)

첫째로, 바람직한 유권자는 정치에 관심이 많고, 정치에 대한 이해도가 높다. 정치에 관심이 많으면 후보자와 정책에 대한 정보를 꾸준히 접하고, 자신의 정치적 지향과 가치관을 확립할 수 있다. 정치에 대한 이해도가 높을 때, 후보자와 정책을 비교하고 평가할 수 있게 되기 때문이다.

둘째로, 바람직한 유권자는 자신의 의사를 이성적이며 합리적으로 결정할 수 있다. 후보자와 정책에 대한 정보를 충분히 이해하고, 자신의 정치적 지향과 가치관을 바탕으로 이성적 판단에 따라 바람직한 후보자를 선택할 수 있게 된다.

어떤 사람들은 그들이 옳은 일을 하고 있다고 생각한다. 그러나 결국 그 일이 그들을 죽음에 이르게 한다. (잠언 16:25)

셋째로, 바람직한 유권자는 투표에 적극적으로 참여한다. 선거에서 국민의 주권을 행사하는 가장 중요한 수단은 투표다. 투표에 적극적으로 참여함으로써, 자신의 의사를 표현하고, 국가 및 사회의 발전에 기여할 수 있는 것이다.

넷째로, 바람직한 유권자는 선거 이후에도 정치에 관심을 갖고 참여한다. 선거 이후에도 유권자의 목소리는 정치에 반영될 수 있고 반영되어야 한다. 유권자는 후보자에게 필요할 때, 의견을 전달하고, 정치 전반 및 정책 실행에 대하여 수시로 비판과 제안을 할 수 있어야 한다.

지도력이 없으면 국가는 패망하게 될 것이다. 그러나 많은 사람들이 충고하면, 국가는 안전해질 것이다. (잠언 11:14)

결론적으로, 바람직한 유권자는 정치에 관심이 많고, 정치에 대한 이해도가 높으며, 자신의 의사를 합리적으로 결정할 수 있고, 투표에 적극적으로 참여하며, 선거 이후에도 정치에 관심을 갖고 참여하는 사람이라고 할 수 있다. 그러므로, 모든 유권자가 바람직한 유권자가 되어야 국가와 사회를 발전시키고 국민의 삶을 풍요롭게 이끌 수 있는 바람직한 지도자를 뽑을 수 있을 것이다.

지식이 없는 열정은 좋지 않다. 만일 너무 빨리 행동한다면, 실수할지도 모른다. (잠언 19:2)

결론

선거를 민주주의의 꽃이라 말한다. 그것은 선거가 민주주의의 핵심 요소중의 하나이며, 민주주의의 본질을 가장 잘 보여주는 제도이기 때문일 것이다. 또한, 선거를 통해 민주국가의 국민들은 자신들의 주권을 실현하고, 자신들의 의사를 반영하며, 국가의 정치적 안정과 발전을 촉진할 수 있기 때문이다.

국민을 위한 통치자가 필요하다. 가난한 사람들에게 잔인한 통치자들은 마치 모든 농작물을 파괴하는 폭우와 같다. (잠언 28:3)

사악한 통치자는 가난한 사람들에게 포효하는 사자나 돌진하는 곰만큼이나 위험하다. 잔인한 통치자는 지혜가 없다.
그러나 부정직하게 취한 돈을 미워하는 사람은 오래 살 것이다. (잠언 28:15-16)

무엇보다도 국민 각자는 선거를 통해 유권자 개개인의 행복을 누릴 수 있어야 한다. 국민 주권이 실현되고 국가가 발전한다 하더라도 개인이 행복해지지 못한다면, 그것은 선거를 잘못한 결과일 것이다.

> 만일 왕이 공정하면, 그는 그의 나라를 강하게 만든다. 그러나 만일 왕이 부정직하게 돈을 받는다면, 그는 그의 나라를 파괴한다. (잠언 29:4)

1장에서 우리는 바람직한 지도자의 덕목 10가지, 즉 지혜와 이해력, 정의와 공의, 용기와 강건함, 청렴과 도덕성, 겸손과 배려, 듣는 귀와 말하는 입, 사랑과 화평, 미래를 준비하는 지혜, 하나님을 경외하는 마음, 끊임없는 자기 개발에 대해 잠언의 말씀을 통해 살펴보았고, 2장에서는 바람직한 유권자상에 대해 유권자의 날, 유권자의 권리, 유권자의 의무, 유권자의 역할, 바람직한 유권자상의 특징으로 나누어 살펴보았다.

> 옳고 공정한 일을 하라. 그것이 하나님께는 동물 제사보다 더 중요하다. (잠언 21:3)

선거는 유권자가 자신들을 대신해서 역할을 해주기를 바라는 지도자, 즉 심부름꾼을 뽑는 것이다. 그렇지만 이 심부름꾼은 자신을 선택한 사람들 만을 위한 심부름이 아니라 모두를 위한 심부름을 하여야 하는 사람이다. 선거를 통해 선출되는 모든 심부름꾼은 선거과정에서 자신을 선택한 유권자는 물론이고 자신을 선택하지 않은 유권자의 심부름도 성실히 수행해야 한다. 그런 역할을 해야 하기에 우리는 그들을 지도자라 부르는 것이다.

사악한 전달자는 문제만을 일으킨다. 그러나 신뢰할 수 있는 전달자는 모든 것을 바로잡는다.
(잠언 13:17)

다가오는 제22대 국회의원 선거부터 미래의 모든 선거에서 모든 유권자는 우선 자신들이 바람직한 유권자상을 확립하여야 한다. 그런 다음에 선거에 출마한 후보자들 중 바람직한 지도자의 덕목을 두루 갖춘 후보자를 자신들을 대표하는 지도자로 선택하여야 할 것이다.

왕들은 포도주를 마시지 말아야 한다. 통치자들은 맥주를 탐해서는 안 된다.
통치자가 술을 마시면, 법을 잊어버릴 수 있다. 그리고 통치자가 빈곤한 사람들이 그들의 권리를 얻는 것을 방해할 수 있다. (잠언 31:4-5)

이 글을 읽는 독자 여러분도 선거를 하게 될 때에는, 먼저 바람직한 유권자상을 확립하고, 바람직한 지도자의 덕목을 지닌 사람을 지도자로 뽑을 수 있기를 바란다. 그렇게 되면, 우리는 선거를 통해, 우리를 미소 짓게 하고 아픔을 치유하는 좋은 약과 같이, 우리의 삶의 질과 행복지수를 높일 수 있을 것이다.

행복은 사람을 미소 짓게 만든다. 그러나 슬픔은 사람의 마음을 꺾는다. (잠언 15:13)

행복한 기분은 좋은 약과 같다. 그러나 상한 마음은 힘을 고갈시킨다. (잠언 17:22)

고대 그리스의 역사가로 '펠로폰네소스 전쟁사'를 쓴 투키디데스(Thucydides)는 "역사는 되풀이된다(History repeats itself)"는 유명한 말을 남겼다. 이는 현재를 사는 우리에게 과거의 역사를 통해 배우고 잘못된 일을 다시는 되풀이하지 말라고 말하는 것으로 보인다.

그런데 우리 대한민국의 역사속에 국민의 직접선거에 의해 뽑힌 많은 지도자들이 범죄를 저지르고 감옥에 간 사실이 많았다. 우리 손으로 뽑은 지도자가 범죄자로 전락하는 일을 사전에 막아야 한다. 그 일, 바른 지도자를 뽑는 것은 바로 우리 유권자의 몫이다.

개는 자신이 토한 것을 먹는다. 그리고 어리석은
사람은 자신의 어리석음을 반복한다. (잠언 26:11)

이제 더 이상 정당의 당리당략이나 개인의 사리사욕을 위해 권력을 노리는 사람들을 우리의 지도자로 뽑는 잘못을 반복해서는 안 된다. 잠언의 말씀을 가슴에 새겨 우리가 바른 판단을 할 수 있는 현명한 유권자가 되고, 앞으로 치러질 모든 선거에서는 바른 지도자를 뽑을 수 있기를 간절히 소망한다.

너의 온 마음을 다해 주님을 신뢰하여라. 너의 이
해력에 의존하지 마라.
네가 하는 모든 일에서 주님을 기억하여라. 그러면
주님께서 너에게 성공을 주실 것이다.
(잠언 3:5-6)

[잠언 4장] 지혜가 중요하다

내 아이들아, 너희 아버지의 가르침을 들어라.

너희가 이해할 수 있도록 주의를 기울여라.

내가 너희에게 말하는 것은 선한 것이다.

내가 너희에게 가르치는 것을 잊지 마라.

나는 한때 내 아버지 집에서 어린 소년이었다.

나는 어머니에게 외자식과 같았다.

그리고 내 아버지는 나를 가르치시며 다음과 같이 말씀하셨다.

"너의 온 마음을 다해 내 말을 붙잡아라.

네가 내 명령을 지키면 살 것이다.

지혜와 이해력을 얻어라.

내 말을 잊거나 무시하지 마라.

지혜를 사용하여라. 그러면 지혜가 너를 돌볼 것이다.

지혜를 사랑하여라. 그러면 지혜가 너를 안전하게 지켜줄 것이다.

지혜가 가장 중요한 것이다. 그러니 지혜를 얻어라.

만일 네가 가진 모든 것을 비용으로 쓴다면, 이해력을 얻어라.

지혜의 가치를 믿어라. 그러면 지혜가 너를 위대하게 만들 것이다.

지혜를 사용하여라. 그러면 지혜는 너에게 명예를 가져다 줄 것이다.

너의 머리에 핀 꽃처럼, 지혜는 너의 삶을 아름답게 할 것이다.

왕관처럼, 지혜는 너를 아름답게 보이게 할 것이다."

내 아이야, 내가 말한 것을 듣고 받아들여라.

그러면 너는 장수할 것이다.

나는 지혜로 너를 인도하고 있다.

그리고 나는 네가 옳은 일을 하도록 인도하고 있다.

아무것도 너를 막지 못할 것이다.

너는 압도당하지 않을 것이다.

네가 배운 것을 항상 기억하여라.

그것을 놓지 마라.

네가 배운 모든 것을 안전하게 지켜라.

그것이 너의 인생에서 가장 중요한 것이다.

사악한 사람들의 길을 따르지 마라.

나쁜 사람들이 하는 일을 하지 말아라.

그들의 길을 피하여라. 그들이 하는 일에 가까이 가지 마라.

그들로부터 멀리 떨어져서 계속 너의 길을 나아가라.

그들은 악을 행하기 전에는 잠을 잘 수 없단다.

그들은 누군가를 해치기 전에는 쉬지 못한단다.

그들은 마치 빵을 먹고 포도주를 마시는 것처럼

사악함과 잔인함으로 그들 스스로를 채운단다.

선량한 사람의 길은 새벽의 빛과 같다.

그것은 대낮이 될 때까지 점점 더 밝아진다.

그러나 사악한 사람들은 어둠속에서 비틀거리는 사람들과 같다.

그들은 무엇이 그들을 다치게 했는지조차 알 수 없다.

내 아이야, 내 말에 귀를 기울여라.

내가 하는 말을 잘 들어라.

내 말을 절대 잊지 마라.

내 말을 네 마음속 깊이 간직해라.

이 말은 그것을 찾는 사람들에게 생명의 비밀이다.

내 말은 온몸에 건강을 가져다준다.

네가 생각하는 것에 대해 매우 조심하여라.

너의 생각이 너의 인생을 좌우한다.

거짓말을 말하기 위해 입을 사용하지 마라.

사실이 아닌 것을 결코 말하지 마라.

너의 눈길을 옳은 것에 집중하여라.

좋은 것을 향하여 앞을 똑바로 보아라.

네가 하는 일을 조심하여라.

항상 옳은 일을 하여라.

옳은 일이 아니라면 어떤 일도 하지마라.

악을 멀리하여라.